L'attaque des hommes ailés

Alain M. Bergeron

Illustrations de Sampar

Catalogage avant publication de Bibliothèque et Archives nationales du Québec et Bibliothèque et Archives Canada

Bergeron, Alain M.

L'attaque des hommes ailés

(Alexandre ; 5)

(Les p'tits romans Quintin)

Pour enfants de 7 ans et plus.

ISBN 978-2-89435-606-7

I. Sampar. II. Titre. III. Collection: Bergron, Alain M.. Alexandre ; 5. IV. Collection: P'tits romans Quintin.

PS8553.E674A83 2012 jC843'.54 C2012-941980-X
PS9553.E674A83 2012

Infographie: Marie-Ève Boisvert, Éd. Michel Quintin

Patrimoine canadien Canadian Heritage

La publication de cet ouvrage a été réalisée grâce au soutien financier du Conseil des Arts du Canada et de la SODEC.

De plus, les Éditions Michel Quintin reconnaissent l'aide financière du gouvernement du Canada par l'entremise du Fonds du livre du Canada pour leurs activités d'édition.

Gouvernement du Québec – Programme de crédit d'impôt pour l'édition de livres – Gestion SODEC

ISBN 978-2-89435-606-7

Dépôt légal – Bibliothèque et Archives nationales du Québec, 2012
Dépôt légal – Bibliothèque nationale du Canada, 2012

Éditions Michel Quintin
4770, rue Foster, Waterloo (Québec)
Canada J0E 2N0
Tél.: 450 539-3774
Téléc.: 450 539-4905
editionsmichelquintin.ca

1 2 - A G M V - 1

Imprimé au Canada

Tout comme Alexandre s'est porté au secours de Bucéphale dans cette histoire, Sonya Renaud et sa maman, Martine Perreault, de Warwick, ont recueilli Viking.

Chez elles, ce petit cheval a trouvé une nouvelle vie et beaucoup d'amour après un horrible passé. Avec mes hommages et toute mon admiration.

Chapitre 1
La disparition

— Où avez-vous caché Bucéphale ? hurle Alexandre à ses amis.

Cette explosion de colère de la part du jeune fils du roi n'ébranle nullement ses compagnons, habitués à ses fréquentes sautes d'humeur.

Hannibal, sur son éléphanteau, hausse les épaules, tout comme Dionysos, juché sur la bosse de son dromadaire, et Xéros, sur le dos de son autruche, presque dissimulé par ses plumes. Le groupe s'est réuni dans la cour du palais.

Bucéphale n'est plus à l'écurie royale.

La réaction nonchalante de ses amis ne fait qu'accentuer la frustration d'Alexandre.

— Vous ne comprenez pas qu'il a disparu ! s'énerve-t-il, les larmes aux yeux.

C'est à ce moment que ses compagnons se rendent compte

qu'il ne feint pas l'inquiétude. Alexandre, du haut de ses onze ans, est trop orgueilleux pour pleurer en public. Mais il est visiblement bouleversé par l'absence inexpliquée de Bucéphale, la magnifique bête que lui seul a su monter le jour de son anniversaire. Ils étaient inséparables, jusqu'à aujourd'hui.

Le jeune prince est totalement désorienté. Il a beau siffler son cheval, crier son nom, ses appels restent sans réponse.

— Où es-tu, tête de bourrique ? marmonne le garçon en fixant l'horizon.

Le fils du roi a un mauvais pressentiment. Il a la certitude qu'un malheur s'est produit.

Deux jours plus tard, il faut se rendre à l'évidence. L'étalon noir ne rentrera pas au bercail.

Dans ses quartiers, Alexandre reçoit la visite de Yanni, l'ancien esclave perse qui l'avait aidé à remporter la Grande Course.

Avec l'or de la bourse remise au gagnant, Yanni a pu racheter sa liberté et celle de ses proches.

Alexandre, l'air abattu, manifeste peu sa joie de revoir son ami.

— J'ai de mauvaises nouvelles pour vous, mon prince,

commence-t-il lors d'un entretien privé.

— Allez ! Parle ! s'impatiente Alexandre.

Yanni plante son regard dans celui de son vis-à-vis.

— Votre cheval a été enlevé et vendu à un roi très loin d'ici.

Pour Alexandre, l'annonce, bien que tragique, lui redonne un mince espoir.

— Au moins, il est vivant ! tente-t-il de se convaincre.

Mais le garçon déchante lorsqu'il découvre où a été conduit son compagnon à quatre pattes.

— Il est à Bactres, la mère des

Cités, lui dévoile Yanni. C'est dans les montagnes, en direction de la lointaine Asie. Des voleurs destinaient Bucéphale au roi Oxyarte. Ils s'en sont vantés à des commerçants de chevaux qui s'intéressaient au magnifique étalon noir. Or, ces commerçants sont des membres de ma famille. Dès que je l'ai su, j'ai couru vous prévenir.

— Et je t'en suis reconnaissant, le remercie Alexandre.

Il frappe dans ses mains, comme s'il venait de prendre une importante décision. Une lueur brille désormais dans ses yeux.

Chapitre 2
Une légère escorte

Le temps de préparer son bagage et Alexandre débarque dans la cour du palais, là où une surprise l'attend. S'il pensait ne retrouver que Yanni, il était dans l'erreur. Il y a foule !

— Tu ne croyais pas qu'on te laisserait y aller seul, non ? lui indique Hannibal sur son éléphanteau. Nous aussi, on a le droit de se divertir.

Derrière lui, juchés sur leur animal, Xéros et Dionysos approuvent d'un signe de tête.

Alertés par le départ imminent de leur têtu de fils, le roi et la reine se rendent auprès de lui.

— Tu es trop jeune pour un tel périple, mon petit Alexou chéri d'amour, geint la reine Olympia.

Le roi Philippe, lui, éclate de rire et s'adresse à son épouse sur un ton de reproche :

— Permettez-lui de voir du pays et d'élargir ses horizons.

Le monarque frappe deux fois dans ses mains.

— Néanmoins, mon garçon, tu accepteras une légère escorte pour t'accompagner...

Alexandre ne riposte pas, tant

la suite le surprend. Hannibal traduit ses pensées :

— Ça ! Une légère escorte ?

Un bataillon de trois cents cavaliers, arme au poing, se présente aussitôt, mené par leur chef, Hector.

— Nous sommes à vos ordres, mon prince, dit-il avec respect.

— Soit ! décide Alexandre, prêt à se jeter dans l'aventure.

Sa mère se précipite vers lui, la larme à l'œil. Elle lui remet un plat.

— Des provisions pour le voyage : une verrine d'endives aux barigoules[1].

1. Voir *Mort au roi !*, coll. Les p'tits romans Quintin.

Les soldats du bataillon qui, pourtant, sont des vétérans de la guerre préfèrent détourner la tête pour cacher leur dégoût. Alexandre grimace.

— J'arrive Bucéphale ! crie-t-il, lançant du coup l'expédition.

Chapitre 3
L'oracle

Jamais voyage n'aura paru plus long à Alexandre. Pour atteindre Bactres, la mère des Cités, il faut traverser les plaines et les vallées, franchir les montagnes, naviguer sur de grandes mers intérieures. Les journées sont torrides et les nuits glaciales.

Le convoi doit également se

prémunir contre les tempêtes de sable dont les grains, propulsés à des vitesses vertigineuses, lacèrent la peau du visage.

Malgré les difficultés, Alexandre et ses compagnons tiennent

bon. Alors qu'il a cessé depuis longtemps de compter les levers de soleil, le jeune prince fait une singulière rencontre.

Un oracle, du nom de Nostradamos, se présente à leur camp érigé à environ un jour de distance de leur destination. Le vieillard édenté flotte dans sa toge tellement il est maigre. L'audience qu'il sollicite auprès du fils du roi Philippe lui est accordée, sous haute surveillance. Le chef des cavaliers, Hector, veut s'assurer que le garçon ne court aucun danger.

Nostradamos s'incline profondément.

— Je vous remercie de m'accueillir et...

— Suffit ! l'interrompt Alexandre. Que désirez-vous ?

Le vieil homme se redresse lentement et ouvre les bras.

— Votre protection. Je suis un oracle qui a fui la ville de Bactres parce que je...

De nouveau, Alexandre lui coupe la parole.

— De Bactres ? Pourquoi ne pas l'avoir dit plus tôt ? Avez-vous vu un étalon noir amené récemment ?

— Celui avec la marque blanche en forme de taureau sur le front ?

— Oui ! confirme le prince, excité.

— C'est votre cheval ? Il était dans les écuries du roi Oxyarte. C'est, pour lui, un superbe trophée...

Alexandre frissonne à l'idée que Bucéphale soit toujours vivant et si près de lui.

— Pourquoi avez-vous quitté la ville ? s'enquiert Hector.

L'oracle fronce ses épais sourcils noirs.

— On voulait que je prédise le mariage du vieux roi, Oxyarte, et de la jeune princesse Roxane.

Il dévisage Alexandre.

— Ç'aurait été faux ! Je sais que ce n'est pas lui qu'elle va épouser.

— Alexandre ? devine Xéros en pouffant de rire.

— Oooooh ! le taquine Hannibal. Alexandre et Roxane, ça sonne si roooooomantique !

— C'est pour ça que tu désirais faire ce voyage ? enchaîne

Dionysos. Pour te trouver une fiancée ?

Bien que ses joues prennent une teinte rosée, le prince ignore les remarques de ses amis. Il concentre son attention sur Nostradamos.

— Oracle, comment puis-je accéder à l'endroit où est gardé Bucéphale, MON cheval ?

L'oracle hoche gravement la tête.

— Il vous faudrait... des ailes !

Chapitre 4
Un entretien avec le roi

À l'entrée de Bactres, Alexandre est estomaqué. La mère des Cités paraît s'accrocher aux flancs de ces montagnes qui la préservent de tout envahisseur. Percées dans le roc, des portes de fer en sont l'unique accès.

Le jeune prince lutte pour ne pas succomber au découragement.

Par quel miracle parviendra-t-il à délivrer Bucéphale de cette prison de pierres ?

Pour le moment, il ne voit qu'une possibilité : avoir un entretien avec le roi et, si nécessaire, lui payer une rançon.

Flanqué d'Hector, le chef des cavaliers, Alexandre se rend à la grande porte de la ville. Une sentinelle, postée dans une tour de garde, braque déjà son arc sur lui. Le garçon lève la main et l'oblige à baisser son arme.

— Je suis Alexandre, fils de Philippe, roi de Macédoine. Je dois parler à votre roi.

La requête est transmise aux commandants qui avisent le roi Oxyarte. Le monarque est amusé qu'un gamin ait fait pareille odyssée pour reprendre son cheval. Il accepte de le recevoir.

Arrivé au palais, Alexandre interpelle Oxyarte sans plus de manière.

— Vous avez quelque chose qui m'appartient, déclare-t-il.

Son hôte, encore plus vieux que le roi Philippe, tousse de rire. On dirait qu'il va s'étouffer.

— Désolé. Je n'ai pas votre hochet...

Autre toux de rire qui colore vilainement le visage d'Oxyarte.

— Ce n'est pas drôle, continue Alexandre.

Le roi soupire et claque des doigts.

— Dommage ! Vous m'ennuyez maintenant. Gardes ! Veuillez reconduire ce bambin et sa nounou hors de notre ville !

Tandis que des hommes s'avancent pour les expulser des lieux, Hector s'interpose, prêt au combat. Alexandre lui intime l'ordre de ne pas engager les hostilités.

— Non! Je sais qu'ils me le remettront avant que je n'aie à le redemander...

Sur le point de sortir de la pièce, le garçon croise le regard d'une adolescente aux yeux envoûtants.

Roxane?

Chapitre 5

Escalade et dangers

Une activité inhabituelle, si tard dans la nuit, règne au pied du monstrueux rocher de Sogdiane qui surplombe la ville. À l'écart des sentinelles, Alexandre réunit ses hommes.

— C'est l'heure, les avise-t-il à voix basse.

L'annonce est relayée aux trois

cents soldats, déjà attachés les uns aux autres avec des cordes de lin. À la faveur de l'obscurité, ceux-ci se préparent pour une aventure périlleuse : l'ascension du rocher.

— Vous avez tous votre voile blanc ? Une récompense en pièces d'or à ceux qui accompliront leur mission, promet le fils du roi.

Guidés par Yanni, qui connaît l'endroit, les hommes d'Alexandre s'engagent sur la paroi la plus escarpée et la moins bien gardée de la montagne.

Restés au sol, Hannibal, Dionysos et Xéros distinguent

à peine les silhouettes des soldats.

— J'aurais aimé entraîner mon éléphanteau à grimper là-haut. Un jour, je gravirai les Alpes avec lui, indique Hannibal en flattant la grosse tête de son animal.

Dionysos se moque de lui.

— Les Alpes ? C'est d'une évidence... Et Alexandre va dominer l'Asie entière... Et l'autruche de Xéros volera de ses propres ailes...

— Ah ! Vous pourriez être surpris, mon garçon, le corrige l'oracle. Pour les Alpes et l'Asie, mais pas pour l'autruche.

— Dommage, se résigne Xéros.

— Vous êtes trop bavards. Taisez-vous ! se fâche Alexandre. On vous entend jusqu'à Pella !

Le jeune prince est préoccupé. Les éboulis, fréquents, risquent d'entraîner des soldats vers la mort, au fond du ravin. Yanni saura-t-il emprunter le chemin qui les mènera rapidement au sommet de la crête ?

Alexandre aurait préféré être de l'expédition, mais il se devait de demeurer au pied du rocher pour la dernière étape de son plan. La fatigue aidant, il sombre dans un demi-sommeil.

Son imagination s'enflamme. Il capture un aigle affamé et saute sur son dos puis, avec un morceau de viande fixé au bout d'un javelot, il l'amène au faîte du rocher. Ou il chevauche Pégase, le cheval ailé. Ou il devient Icare...

Lorsque le soleil se lève enfin au terme d'une nuit qui lui a semblé interminable, Alexandre est soulagé. Un cri d'oiseau lui confirme que le but a été atteint.

Il est désormais en mesure d'affronter le roi Oxyarte et de récupérer Bucéphale.

Chapitre 6
Les hommes ailés

À l'entrée de Bactres, une curieuse procession se met en branle. Le garçon en tête est à pied. Il est suivi de trois jeunes de son âge qui chevauchent respectivement une autruche, un dromadaire et un éléphanteau. Un soldat à la stature imposante et un vieil homme d'une maigreur effroyable ferment la marche.

Alexandre donne le signal à Hannibal qui fait barrir sa bête plusieurs fois. Alertées, les sentinelles avisent le roi Oxyarte que le prince de Macédoine est de retour devant la forteresse.

Les lourdes portes s'ouvrent. Alexandre et sa bande sont conduits jusqu'à la place centrale de la cité. Une foule s'y est attroupée malgré l'heure matinale.

Le roi Oxyarte arrive, précédé de son escorte.

— Vous êtes courageux ou stupide. Chose certaine, vous

ne m'amusez plus, mon garçon ! déclare-t-il.

Oxyarte reconnaît l'oracle. Son visage s'empourpre immédiatement.

— Nostradamos ! Toi, ici ? Ton insolence te coûtera la vie ! Gardes, emparez-vous de lui !

Alexandre dégaine son arme. Lui et Hector font obstacle aux ennemis de l'oracle.

— Ne bougez pas ! commande le prince.

C'est alors que le vieux Nostradamos tend un index squelettique vers le roi.

— Oxyarte, je vous avais prédit que votre ville serait attaquée un jour par des hommes ailés...

— Oui, se souvient le roi agacé. Aussi, tu devais prédire mon mariage avec la princesse Roxane, mais tu ne l'as pas fait.

L'oracle Nostradamos en rajoute :

— Ce jour maudit est venu. Voyez sur le rocher de Sogdiane !

Alexandre fait scintiller le soleil sur la lame de son épée en direction de la montagne. Ce que découvrent les habitants de Bactres les fige de stupeur.

Sur le rocher, les trois cents Macédoniens agitent les voiles blancs, comme s'ils allaient s'envoler.

Des cris de peur et d'épouvante montent de la foule.

— Le garçon commande aux hommes ailés !

— Ils vont nous attaquer !

Même le roi Oxyarte est frappé par cette vision d'horreur. Des gardes laissent tomber leurs armes et se sauvent.

— Oui, des hommes ailés! hurle Alexandre. Et je n'ai qu'un geste à faire pour qu'ils donnent l'assaut à la mère des Cités.

Abandonné par ses soldats, Oxyarte est soudainement isolé. Alexandre et Hector se jettent sur lui et le capturent.

— Pitié ! beugle le roi. Ne me tuez pas ! Nous nous rendons ! Cette ville est la vôtre !

Alexandre, soulagé, esquisse un sourire.

— Amenez-moi mon cheval...

Chapitre 7

Les retrouvailles

Pour Alexandre, la joie de renouer avec Bucéphale n'a d'égale que celle de savoir que tous ses hommes ont pu descendre du rocher de Sogdiane sans trop de casse. Les Macédoniens célèbrent bruyamment son étonnante victoire.

Le jeune prince blottit

son visage dans le cou de sa monture pour cacher ses larmes de bonheur. Émus par ces retrouvailles, ses amis se tiennent à distance.

Au bout de quelques minutes, Alexandre les rejoint et il leur exprime sa reconnaissance.

— Qu'aurais-je fait sans vous tous ? leur demande-t-il.

Le roi Oxyarte appréhende le verdict du vainqueur. Qu'adviendra-t-il de lui ? Ou de Bactres ? Le prince devine son angoisse.

— Je ne veux pas de votre ville. Ma vie n'est pas ici.

L'oracle Nostradamos intervient.

— Vous avez raison, fils de roi. Je prédis, pour vous, de multiples triomphes. Vous serez Alexandre le Grand, celui dont on parlera pendant des siècles et des siècles.

Alexandre s'agrippe à la crinière de son cheval et grimpe sur son dos. Il lâche un cri de joie tellement il est content.

Puis au dernier instant, il aperçoit une mince silhouette à l'ombre d'une colonne.

— La princesse Roxane, murmure-t-il, ébloui par sa beauté.

— Je vois un mariage à l'horizon, clame l'oracle, les bras au ciel.

— Le mien avec la princesse Roxane ? espère le roi Oxyarte.

— Non ! tranche l'oracle. Je la sens aux côtés d'un grand conquérant...

Xéros interpelle Dionysos :

— Si j'ai compris, le grand conquérant, c'est Alexandre, non ?

En guise de réponse, l'oracle se contente de sourire.

— Sûrement pas, soulève le prince avec empressement, je suis trop jeune pour me marier !

Trop jeune ou pas, il n'est pas

dans les intentions d'Alexandre que la princesse passe une minute de plus dans la ville de Bactres.

— Vous venez avec nous en Macédoine ? lui demande-t-il.

Le jeune prince est troublé par sa beauté sauvage, sa longue chevelure noire, ses yeux qui embrasent son cœur.

— Merci, lui dit-elle d'une voix douce et assurée. Mais je dois rentrer dans mon pays, loin d'ici. Je repars auprès des miens.

Le fils du roi Philippe s'incline devant sa volonté. Il lui assigne une escorte de dix hommes, menée par Hector.

— Adieu, princesse Roxane, lui dit Alexandre.

— Non, pas adieu. Au revoir, mon prince, lui répond-elle.

Curieusement, il a l'impression qu'elle dit vrai et qu'ils se reverront un jour.

Le groupe se scinde en deux. D'un côté, ceux qui vont vers l'ouest, en direction de la Macédoine, et de l'autre, ceux qui conduisent la princesse vers l'Orient, là où le soleil se lève...

Épilogue

L'épisode de l'attaque des hommes ailés sur la ville de Bactres[1] se serait produit aux environs de 327 avant Jésus-Christ. Alexandre le Grand n'était plus un garçon depuis longtemps, mais bien un roi et un guerrier qui repoussait sans cesse les frontières de l'empire grec.

Il est débarqué à la mère des Cités, car il voyait là un nouveau territoire à envahir, et non parce que Bucéphale y était gardé prisonnier.

1. Aujourd'hui en Afghanistan.

Les oracles avaient prédit que la forteresse n'était prenable que par des hommes ailés. La stratégie adoptée par Alexandre est celle racontée dans ce livre.

Une fois la ville conquise, il y a rencontré une jeune femme à la beauté extraordinaire, Roxane, qu'il a épousée par la suite. Mais ça, bien entendu, c'est une autre histoire...

Table des matières